For Anna, who always laughs at my jokes.
Well, usually.
L.C.

To my young grandma, with love.
J.N.

Upozornění:
Slovo Cheetah bylo použito v tomto příběhu jako jméno a tak,
aby vtip na konci vtipně vyzněl.

Text copyright © 1993 Lindsay Camp
Illustrations copyright © 1993 Jill Newton
Dual language text copyright © 2008 Mantra Lingua
Audio copyright © 2008 Mantra Lingua
This edition 2008

Mantra Lingua
Global House
303 Ballards Lane, London N12 8NP
www.mantralingua.com
www.talkingpen.co.uk

Držet Krok s Cheetah

Keeping Up With Cheetah

Written by Lindsay Camp
Illustrated by Jill Newton

Czech translation by
Vladislava Vydra

Mantra Lingua

Cheetah a Hroch rádi vyprávěli vtipy.
Vlastně, Cheetah řekl vtip. Hroch jen poslouchal
a smál se – hlubokým, hřmějícím smíchem.
Vtipy nebyly až tak vtipné, ale Hroch si myslel
že jsou.
A to je proč byli tak dobří kamarádi.

Cheetah and Hippopotamus loved telling jokes.
Actually, Cheetah told the jokes. Hippopotamus just
listened and laughed – a deep, bellowy laugh.
The jokes weren't very funny, but
Hippopotamus thought they were.
And that's why they were such
good friends.

Cheetah ale jedna věc na Hrochovi vadila –
Hroch nemohl rychle běžet.

But one thing about Hippopotamus
annoyed Cheetah – Hippopotamus
couldn't run very fast.

"No tak Hrochu, pospěs si," Cheetah na něho netrpělivě křičel.
"Když se mnou nemůžeš držet krok, neuslyšíš můj nový vtip."

"Come on Hippopotamus," Cheetah would
shout impatiently. "If you can't keep up
with me, you won't hear my new joke."

Ale k ničemu to nebylo. Hroch nemohl běžet tak rychle jako Cheetah.
A tak, místo toho se Cheetah skamarádil s Pštrosem.
Hrochovi bylo do pláče. Raději se ale cvičil v běhu až už nemohl
popadnout dech a musel si lehnout.

But it was no good. Hippopotamus couldn't run as fast
as Cheetah. So Cheetah made friends with Ostrich instead.
Hippopotamus felt like crying. But, instead, he practised
running until he was so out of breath that he had to lie down.

A věděl, že pořád ještě
nemůže držet krok s Cheetah.

And he knew he still couldn't
keep up with Cheetah.

Pštros mohl – rozhodně, skoro. Cheetah si myslel jak je chytrý,
že má tak dobrého nového kamaráda.
"Chceš slyšet můj nový vtip, Pštrose?" zeptal se.

Ostrich could – very nearly, anyway. Cheetah thought how
clever he was to have made such a good new friend.
"Would you like to hear my new joke, Ostrich?" he asked.

"Ne děkuji," řekl Pštros. "Nemám rád vtipy. Poběžme ještě trochu."

"No thank you," said Ostrich. "I don't like jokes. Let's run some more."

Cheetah už toho měl za celý den dost. Chtěl vyprávět vtipy.
A tak místo toho se skamarádil s Žirafou. Tím víc byl
Hroch rozhodnut běžet tak rychle jako Cheetah.

Cheetah had run enough for one day. He wanted to
tell jokes. So he made friends with Giraffe instead.
Now Hippopotamus was even more determined
to run as fast as Cheetah.

A tak se schoval a pozoroval jak Žirafa a Cheetah tryskem běží.
Dlouhé nohy Žirafy létaly dopředu a Cheetah mrskal ocasem ze
strany na stranu, aby si udržel rovnováhu.

So he hid and watched as Giraffe and Cheetah galloped by.
Giraffe's long legs flew out in front and Cheetah lashed
his tail from side to side to keep his balance.

Hroch potom zkusil to samé.
Nebylo to lehké.

Then Hippopotamus tried to do the same.
It wasn't easy.

Hroch spadl na zem s velkou RÁNOU!
Bude to ještě dlouho trvat než bude moc
držet krok s Cheetah.

Hippopotamus fell down with a CRASH!
It would be a long time before he could
keep up with Cheetah.

Žirafa mohla – rozhodně, skoro.

Giraffe could – very
nearly, anyway.

"Chceš slyšet můj nový vtip, Žirafo?" zeptal se Cheetah.
"Pardon?" řekla Žirafa. "Neslyším tě tady nahoře."
"Co je dobrého na kamarádovi, když ani neposlouchá tvoje vtipy?"
pomyslel si Cheetah rozlobeně.

"Would you like to hear my new joke, Giraffe?" Cheetah asked.
"Pardon?" said Giraffe. "I can't hear you from up here."
"What's the good of a friend who doesn't even listen
to your jokes?" thought Cheetah crossly.

A tak místo toho se skamarádil s Hyenou.
Když to viděl Hroch, vadilo mu to.
Jen jedno by mu udělalo dobře.

And he made friends with Hyena instead.
When Hippopotamus saw this, he felt hot and bothered.
There was only one thing that would make him feel better.

Dobré, dlouhé, hluboké válení se v bahně.
Hroch miloval válet se v bahně. Čím hlubší, bahnitější, tím víc to měl rád.
Ale hodně dlouho už se v bahně neválel, protože Cheetah řekl, že je to špinavé.

A good, long, deep, muddy wallow.
Hippopotamus loved wallowing. The deeper, the muddier, the more
he enjoyed it. But he hadn't had a wallow for a long time,
because Cheetah said it was dirty.

"Nuže," pomyslel si Hroch, "Teď si mohu dělat co chci."
A potopil se do řeky – PLÁC!
Bylo to nádherné.

"Well," thought Hippopotamus, "I can do what I like."
And he dived into the river – SPLOOSH!
It felt wonderful.

Když tam tak ležel, pomyslel si jak byl hloupý.
Nemohl rychle běžet, ale mohl se válet v bahně. A přestože byl smutný,
že ztratil kamaráda, věděl, že by nikdy nemohl držet krok s Cheetah.

As he lay there, he thought how silly he'd been. He couldn't run fast,
but he could wallow. And although he was sad to lose a friend,
he knew that he would never be able to
keep up with Cheetah.

Hyena mohla – rozhodně, skoro. Cheetah byl velmi potěšen.
"Ťuk, ťuk," řekl Cheetah.
"Ha-hee-he-heeee!" řekla Hyena.

Hyena could – very nearly, anyway. Cheetah was very pleased.
"Knock knock," said Cheetah.
"Ha-hee-he-heeee!" said Hyena.

"Ty máš říct, 'Kdo to je?'" odsekl Cheetah. "Co to má za význam říkat ti nový vtip, když už se směješ, než dojde k tomu, čemu se máš smát?"
"HAH-EH-HEH-HEE-HEE!" ječela Hyena.

"You're supposed to say, 'Who's there?' " snapped Cheetah. "What's the point of telling my new joke, if you laugh before I get to the funny bit?"
"HAH-EH-HEH-HEE-HEE!" screamed Hyena.

Cheetah si pak uvědomil, že co opravdu potřebuje, je jiného kamaráda. Může běhat sám, ale k vyprávění vtipů, aby byla legrace, potřebuje někoho kdo poslouchá – a směje se až tam, kde se má smát. Kde by mohl takového kamaráda najít?

Then Cheetah realised that what he really needed was a different sort of friend. He could run by himself, but telling jokes was only fun if someone listened – and only laughed at the funny bits. Where could he find a friend like that?

Už takového měl! Cheetah běžel ke stínu stromu, ale Hroch tam nebyl.
A jak se Cheetah pomalu vracel, myslel na to, jak byl hloupý, že ztratil
takového kamaráda.

He already had one! Cheetah ran to the shady tree but
Hippopotamus wasn't there. As Cheetah walked slowly away,
he thought how silly he had been to lose
such a good friend.

Najednou viděl jak se na něho z řeky dívají oči.

Suddenly he saw a pair of eyes
watching him from the river.

"Ťuk, ťuk," řekl Cheetah.
"Kdo to je?" řekl Hroch.
"H-eetah, přece!" řekl Cheetah.
A Hroch se smál a smál.

"Knock knock," said Cheetah.
"Who's there?" said Hippopotamus.
"H-eetah, of course!" said Cheetah.
And Hippopotamus laughed
and laughed.

Information

Jokes

Lindsay Camp
Author

Jill Newton
Illustrator

a b c d e f g
h i j k l m n
o p q r s t u
v w x y z

Question

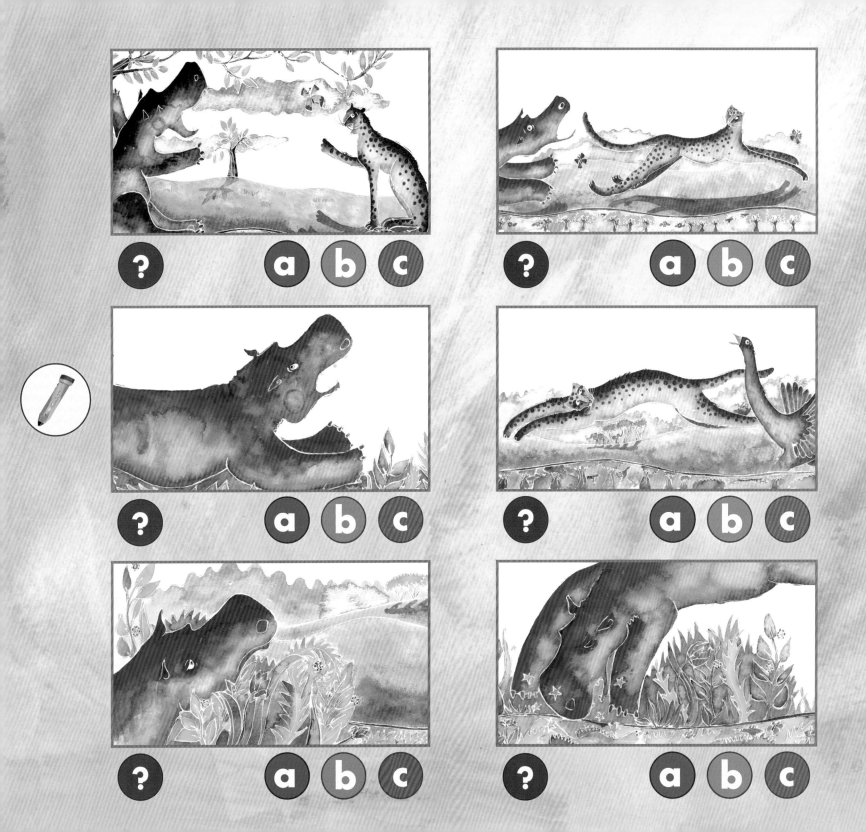

WORLD SPORTS CHAMPIONS

ADAM SUTHERLAND

Published in 2013 by Wayland

Copyright © Wayland 2013

Wayland
338 Euston Road
London NW1 3BH

Wayland Australia
Level 17/207 Kent Street
Sydney, NSW 2000

Editor: Louise John
Designer: D-R-ink

Picture Acknowledgements: The author and publisher would like to thank the following for allowing their pictures to be reproduced in this publication:
Cover and P12 Giuliano Bevilacqua/Rex Features: P4, 5, 13, 21, 22(1), 22(3) Shutterstock: P6 and title page © Victor Fraile/Corbis; P7 © Reix - Liewig/For Picture/ Corbis; P15 © Philip Oldham/Colorsport/ Corbis; P16 © Kay Nietfeld /epa/Corbis; P19 © Leo Mason/Corbis; P2 and P20 © IAN LANGSDON/epa/Corbis; P23(1) © JON HRUSA/epa/Corbis: P8, 14, 18, 22(2) Getty Images: P9, 11, 17 AFP/Getty Images: P10 Sankei via Getty Images: P23(2) AFP/Getty Images/Indranil Mukherjee: P23(3) AFP/Getty Images/Johannes Simon.

British Library Cataloguing in Publication Data
Sutherland, Adam.
   World sports champions. – (Celebrity secrets)
   1. –Biography–Juvenile literature.
   2. –Biography–Juvenile literature.
   I. Title II. Series
   920'.008621-dc23

ISBN 978 0 7502 7876 8

Printed in China

10 9 8 7 6 5 4 3 2 1

Wayland is a division of Hachette Children's Books, an Hachette UK company.

www.hachette.co.uk